collection

cascade

ISABELLE LEBRAT

SAMBA DES COLLINES

ILLUSTRATIONS DE
CÉCILE GEIGER

RAGEOT•ÉDITEUR

Collection dirigée par Caroline Westberg

ISBN 2-7002-2895-2
ISSN 1142-8252

À *Eliette, ma petite Africaine.*

Je m'appelle Samba

Je m'appelle Samba.

J'ai dix ans.

Je remercie les esprits. Ils ont parlé à mon père dans son sommeil et ils lui ont fait cadeau de ce prénom : Samba.

Le curé du quartier Étoudi, le père Schmitt, qui est alsacien, prononce « Zamba » au lieu de Samba. Dans ma tribu, Zamba signifie Dieu ; cela fait rire tout le monde sauf moi. S'appeler Dieu quand on est encore enfant vous empêche de rêver.

Je préfère Samba. C'est une musique d'origine brésilienne qui entraîne dans la joie même quand la vie se fait cruelle.

Je suis l'aîné d'une famille de dix enfants. J'habite un quartier de Yaoundé, la capitale du Cameroun. Yaoundé est connue pour être la ville aux sept collines. Comme le dit M. Kisito, notre maître d'école, il n'y en a qu'une autre au monde, c'est Rome.

Le quartier Étoudi est construit sur l'une de ces collines. La maison en terre battue que nous habitons est dans une rue sale, pénible à gravir.

Les voitures passent rarement ici. Il n'y a que les pousse-pousse qui y arrivent, tirés par des hommes au torse nu que les marchandes payent pour transporter régimes de bananes, manioc, patates douces ou sacs d'arachides. Ils ont le front bas, le cou tendu, le pied glissant ; j'aime regarder leur peau qui fume comme celle des bœufs qui tirent une charrette. Les marchandes leur donnent des sous qu'ils serrent dans leur main : « Tankiou » lancent-ils dans leur mauvais anglais, en inclinant la tête pour remercier.

À Étoudi, pendant la saison des pluies, on ne distingue plus les cochons des hommes. Tout le monde marche pieds nus, car la boue est tellement épaisse que les chaussures s'y perdent. D'ailleurs, les habitants du quartier sont appelés *ngoés*, cochons, car ils sont toujours sales, vivent dans la plus grande des pauvretés et font les poubelles.

Pendant la saison des pluies, les trottoirs et les routes se confondent et nous ne pouvons plus parcourir à pied les cinq kilomètres qui nous séparent de l'école. Alors nous jouons à la pirogue ou glissons dans la boue avec des cris de joie.

Je suis obligé d'aller à l'école même si je sais que je ne suis pas très bon élève. Mes parents me répètent tous les jours que l'aîné d'une famille doit beaucoup travailler pour s'occuper de ses frères et sœurs et plus tard de ses parents, lorsqu'ils seront vieux.

Ma famille est très pauvre. Nous n'avons qu'une tenue de fête pour deux alors nous allons à la messe en alternance et nous nous prêtons le seul complet en tergal que nous possédons. Le dimanche où mon frère Anyuzoa, mon cadet d'un an, va à l'église, je reste à la maison et je rêve à la semaine suivante où j'aurai l'honneur de porter le beau costume...

Mes parents ne peuvent pas m'acheter de livre de lecture. Ma mère, vendeuse de beignets, arrive à peine à nous nourrir et à trouver assez d'argent pour nous donner crayons et cahiers. Quand elle revient du marché, elle s'assoit au coin d'un feu de fagots et elle essaye, malgré la fatigue, de nous confectionner des vêtements en tissu coloré.

J'aime beaucoup maman. Les gens du quartier l'appellent Bobbie je ne sais pas trop pourquoi, parce qu'elle se démène comme un homme peut-être.

Mon père, aveugle, ne peut plus vraiment travailler depuis qu'un mauvais insecte l'a piqué au visage. Lui qui était le meilleur vannier du quartier, il lui faut à présent presque un jour entier pour tresser un panier.

Il me rappelle souvent que nous n'avons plus d'économies depuis sa maladie. Son hospitalisation nous a coûté très cher. Pour espérer être soigné à l'hôpital, en Afrique, il faut apporter son lit picot, sa couverture, son oreiller, ses médicaments. Il faut aussi beaucoup d'argent pour mouiller la barbe du médecin afin qu'il daigne vous soigner. Mais les hôpitaux sont très sales et on y attrape d'autres maladies qui retardent la guérison.

Malgré son opération, mon père a perdu la vue. Depuis, il a toujours la même chemise entrouverte, le même pantalon rayé et son grand chapeau de paille aux couleurs défraîchies qui ne le quitte jamais.

Ma maison

Vous ne connaissez pas ma maison. Je vais vous la décrire. En Afrique, tout est histoire. Mon père raconte que c'est mon arrière-grand-père aveugle, Angelbert, qui a construit cette maison de ses mains. Les murs sont en poto-poto. C'est de la terre battue. La terre est considérée comme le nombril du monde. Grand-père dit que nous venons de la terre et qu'à la terre nous retournerons. Alors que mon arrière-grand-père posait la dernière tuile du toit, les esprits du village se sont donné rendez-vous et il a plu à verse sur la maison, le reste du village restant à sec, ce qui est signe de chance.

La porte est tournée vers la rivière où séjournent les morts. Notre maison est donc ouverte aux ancêtres de notre tribu ; d'ailleurs, quand nous mangeons ou buvons, nous laissons toujours tomber une miette ou une goutte pour les remercier d'être là et de nous protéger.

En franchissant la porte d'entrée de ma maison, vous rencontrez tous les règnes de la nature : l'animal, le minéral et le végétal.

Au-dessus de la porte, il y a un os d'écureuil, signe de fécondité et de ruse. Une pierre est posée sur le linteau de la porte, une pierre plate comme une méduse ou une limande. Inutile d'être bien malin pour deviner que cette pierre écrasera les esprits malveillants qui se hasarderaient chez nous.

On entre directement dans la salle des palabres. Et si vous voulez, nous allons lentement en faire le tour. Au milieu, contre le mur, juste en face de la fenêtre, il y a une table rectangulaire recouverte de raphia. C'est la table des cérémonies. Elle représente le règne végétal ; c'est là que mon père, mon grand-père, mon arrière-grand-père, ont choisi le nom des enfants de la famille. On m'a sans doute aussi posé sur cette table, en attendant que l'esprit des esprits dicte mon nom : Samba.

Il y a quelques nattes de raphia, vous verrez, près de la fenêtre, et c'est peut-être au-dessus que mon arrière-grand-père suspendait les amulettes, symbole de notre tribu. On dit que chaque matin, il les comptait pour accueillir le jour.

J'aime beaucoup notre maison.

La plus longue halte, vous verrez, c'est bien sûr dans la cuisine que nous la ferons. C'est là que nous vivons la plupart du temps, la salle des palabres étant réservée aux anciens. Le foyer est toujours allumé dans la cuisine. On ne l'éteint qu'au coucher. Il nous rappelle que le feu dévore tous les esprits malveillants.

Au-dessus du foyer, il y a des calebasses ; certaines sont rondes, d'autres ovales, d'autres encore un peu triangulaires. Elles sont toutes tatouées de signes mystérieux. Je ne sais pas pourquoi, mais je les trouve très belles.

Chaque jour, mon grand-père les emplit d'eau et de lait caillé. Il vide régulièrement les calebasses de lait dans de grandes jattes pour en faire de la crème de mil. À droite, contre une lampe à huile, il y a une fiole d'eau de fleur d'hibiscus dont ma mère parfume la maison. Elle pense que cette odeur va lui attirer des tas de clients qui lui achèteront ses beignets dans la journée.

Nous n'avons pas beaucoup de meubles. Nous sommes souvent assis par terre et nous n'avons que trois pièces habitables. La chambre des enfants est proche de la cuisine. Elle ouvre sur un couloir obscur qui conduit à celle de mes parents. La porte est toujours fermée. Aucun enfant n'y est jamais entré.

Mon grand-père, lui, vit dans une case derrière la maison, non loin de la rivière. Les parents, les enfants et les grands-parents ne doivent pas vivre à plus d'un jet de pierre les uns des autres. Lorsque les grands-parents sont vieux, trop vieux, on les prend chez soi, à la maison. C'est un honneur de s'occuper d'eux. Ils vous racontent l'histoire du monde et des hommes et on devient un homme sage.

Un sage africain a dit qu'un vieillard qui meurt, c'est une bibliothèque qui brûle. Depuis que ma grand-mère est morte, grand-père vit tout seul dans sa maison traversée par une grande cheminée qui va très haut. De notre chambre il m'arrive de voir une épaisse fumée s'en échapper. Toutes les nuits, il brûle des onguents pour chasser les mauvais esprits du quartier. Certains disent qu'il est un peu sorcier.

Le chat noir de la pleine lune

Un matin, bien avant le premier chant du coq, je suis réveillé par l'odeur grasse des beignets qui me chatouille les narines. Maman est une veilleuse d'aurore : à quatre heures, elle fait frire des beignets de mil pour les vendre sur le chemin des écoliers.

Je me lève en catimini pour l'observer plonger la pâte dans l'immense marmite d'huile de palme bouillante, puis retirer doucement les beignets quand ils ont pris une couleur ambrée, avec la même lenteur, la même application pendant des heures. J'aime les *atchoms*. Ce nom imite le bruit que fait la pâte en tombant dans l'huile.

Ma mère me réserve toujours le premier, que je savoure le plus lentement possible. Le parfum de ce beignet, dégusté au petit jour, me suivra longtemps sur le chemin de l'école.

À cinq heures, le chant de la perdrix tire mes frères et sœurs du lit.

C'est l'heure des travaux manuels utiles à toute la famille. Une tâche particulière est affectée à chacun de nous pour la durée d'un trimestre. C'est ainsi que, de mars à juin, je suis chargé d'aller puiser de l'eau au puits, alors que d'autres assurent le ramassage des ordures, d'autres encore l'épluchage du manioc et des bananes pour le repas du soir.

Nous ne sommes pas assez riches pour manger plus d'une fois par jour. Nous ne connaissons ni les croissants ni les baguettes croustillantes dont on voit les images dans notre livre de lecture ; nous ne connaissons ni le chocolat chaud ni la limonade ; nous ne connaissons que les noix de palmiste, que nous mâchonnons à longueur de journée à l'école pour tromper notre faim.

Chez nous, les enfants sont habitués à travailler le ventre vide. Ce n'est pas toujours facile, mais on s'y habitue.

Pour accéder au puits, il me faut suivre un chemin escarpé, glissant et raboteux qui descend sec. Arrivé en bas, je me lave les mains, le visage et les pieds, puis j'emplis la bassine que je charge sur ma tête. Après quoi, je dois remonter par le même chemin. Cette opération nécessite beaucoup d'adresse et d'énergie. À vide, la cuvette pèse assez lourd. Mais une fois pleine, il faut être vraiment fort pour la mettre sur la tête, car elle bascule et toute l'eau retourne à sa source.

Une telle mésaventure m'est déjà arrivée plusieurs fois, à ma plus grande humiliation. J'ai dû parfois attendre la venue d'une lavandière pour qu'elle m'aide à remonter la bassine pleine, puis ruminer dans mon cœur mon incapacité personnelle.

J'ai beau avoir dix ans et être grand pour mon âge, mon estomac gargouille et je mangerais bien encore quelques beignets pour me donner des forces. Mais maman nous dit qu'il ne faut pas les gaspiller et les garder pour la vente.

Pendant toute la saison des pluies, ce transport d'eau est pour moi un véritable supplice. Lorsqu'il a plu la nuit, le sentier est couvert de boue épaisse, serti d'ornières. J'affronte alors l'épreuve de ma totale insuffisance dans la solitude. L'angoisse me prend de m'écrouler et que la cuvette se renverse sur moi et m'ensevelisse à l'écart du reste du monde.

Un matin, alors que j'allais chercher de l'eau au puits, la nuit était encore très sombre, il faisait frais et la lune était haute. Aucun bruit ne parvenait jusqu'ici. Seuls quelques écureuils froissaient l'herbe du chemin. L'impression que j'étais seul m'a vrillé le creux de l'estomac. J'ai éprouvé un sentiment aigu de peur et de rejet.

Puis, alors que je m'approchais doucement de la margelle du puits, j'ai été traversé par la sensation que quelqu'un, tapi dans l'ombre, me regardait. Le clapotis de l'eau ne pouvait couvrir un bruissement dans les buissons. Était-ce un animal qui battait en retraite ? Je n'ai pu distinguer aucune forme. Était-ce un homme ? Un enfant ? Une énorme vipère ? Ou encore un singe surpris par le lever du jour ? La désagréable impression d'avoir été épié a persisté longtemps en moi.

Quelques jours plus tard, peut-être au bout d'une semaine, au terme d'une nuit de pleine lune, j'ai aperçu, assis sur son derrière, installé au sommet d'une motte de terre, un chat noir famélique.

Il n'a pas bougé en me voyant arriver, mais il a filé lorsque ma cuvette s'est renversée dans un claquement d'eau. Un chat noir ! Pour ma tribu, c'est le signe de la mort subite d'un proche... Mon père, déjà aveugle, est très malade. Il souffre de rhumatismes et de violentes migraines. Pourvu que ce ne soit pas l'annonce de sa disparition !

Le chat est là, chaque matin, à la même heure, à m'attendre. Il s'avance vers moi, me suit et ne m'abandonne qu'à l'entrée dans notre quartier. Parfois, il s'accroche à mes mollets en miaulant, mais sans jamais me griffer. Je n'aime pas ce matou villageois au poil brillant qui règne en maître sur le chemin du puits. Décidément, j'ai trop peur qu'il m'annonce des malheurs !

Sur le chemin de l'école

Bongo be sikolo
Mia ke ve ?
Ban minfeg
A mo
Mia ke ve ?

Tous les jours que Dieu fait, nous chantons et rechantons la comptine des écoliers du Cameroun. Personne ne résiste à ce refrain entraînant qui rythme notre marche, et la dizaine d'enfants reprend en chœur :

Écoliers
Où allez-vous ?
Cartable
À la main
Où allez-vous ?

Notre petite troupe égaye les rues d'Étoudi. Mais nous ne répétons pas la comptine comme une ritournelle, de peur que les mots ne s'usent.

Nous nous lançons aussi des blagues, nous taquinant les uns les autres. En passant devant une vache amaigrie, j'ose :

– Bonjour Seïdou ! Te voilà transformé en vache ! Ne traîne pas trop dans le pré, l'école t'attend !

La blague fait rire tout le monde, car Seïdou, qui est Peul et musulman, appartient à une ethnie d'éleveurs de vaches. On dit chez nous que les Peuls se transforment en ruminants pour se cacher de leurs ennemis. Lorsque notre bande entend des corbeaux haut dans le ciel qui ricanent, tous mes camarades se tournent vers moi.

– Samba est-il toujours là ? jette Seïdou pour se venger.

Je vous explique : je suis de la tribu beti connue pour son amour démesuré des arachides. On en cultive partout, y compris sur le rebord des fenêtres. Pour rire, on dit qu'il nous en pousse sur la tête. Les corbeaux raffolent de cet arbrisseau et aiment s'y poser pour picorer les graines.

Joyeux, nous arrivons devant l'école coranique que fréquentent Seïdou et ses amis. Je suis parmi ceux qui traversent la route pour entrer dans l'école de la mission catholique. Les livres ne le savent pas mais au Cameroun, il y a à peu près autant de musulmans, de chrétiens que d'animistes.

Je vois arriver les jeunes musulmans, en boubou blanc défraîchi, traînant leurs babouches dans la poussière. Sous le bras, ils portent une planchette de buis qui ressemble étrangement à celle que mon grand-père utilise pour m'apprendre l'alphabet. Elle est constellée de versets coraniques en arabe. Leur seule récompense est d'aller laver leur planchette pour y inscrire de nouveaux versets dont leur marabout propose le modèle. Peut-être que le marabout qui leur enseigne la lecture du Coran est tout simplement moins généreux ou moins pédagogue que mon grand-père ! D'ailleurs, je le vois souvent donner des coups de liane à ses élèves ou, châtiment plus douloureux, leur pincer longuement l'oreille.

Lorsque les jeunes musulmans arrivent le matin, ils enlèvent leurs babouches, puis s'aspergent d'eau qu'ils recueillent dans leurs mains en coupole. C'est ainsi qu'ils se purifient. Des murmures coulent comme autant de prières adressées à Dieu dans un cri, *Ouallahi !* qui doit bénir leur journée de travail.

Chaque élève clame sa leçon à tue-tête sans se soucier des autres, dans un vacarme indescriptible qui, curieusement, ne gêne personne. Comme nous autres ne savons pas un traître mot d'arabe, nous avons l'impression qu'ils baragouinent en imitant les accents repérés de-ci de-là au marché. Ils évoquent parfois les bruitages de langues sacrées que j'entends le matin dans l'appel du muezzin qui, entre ses gencives violettes, psalmodie une étrange mélopée.

L'ÉCOLE SOUS LE CIEL

Je suis grand, je vais tout seul à l'école. Oh ! la vieille petite école ! Mon père y est passé, mon grand-père y est passé, quand le Cameroun était encore une colonie allemande. Oh ! la belle cour ! Les chèvres s'y traînent souvent en bêlant, une corde autour du cou ; les coqs s'y égosillent en encourageant les poules...

Notre école est en piteux état mais tout le monde y est habitué. Les enfants s'assoient sur des chaises branlantes, écrivent sur de vieilles tables écorchées par des centaines de doigts malhabiles. Et je ne parle même pas du toit en raphia, tellement abîmé par les pluies trop nombreuses et les orages trop violents que nous faisons classe à ciel ouvert, qu'il pleuve, qu'il vente, ou qu'il fasse plus de quarante degrés à l'ombre, pendant la saison sèche.

J'arrive à l'école autour de huit heures et quart.

Maître Kisito nous attend déjà devant la porte. Les soixante-quinze enfants se mettent en rang et il les appelle dans la classe par ordre alphabétique. La journée commence toujours par la prière du Je vous salue Marie... Ensuite dix longues minutes de leçon de morale ! Puis, vous avez deviné, nous récitons en chantant en chœur les leçons apprises la veille :

Les adjectifs possessifs.
Mon, ton, son,
Notre, votre, leur.
Ma, ta, sa,
Notre, votre, leur.
Mes, tes, ses,
Nos voleurs !

Le maître interroge alors deux ou trois élèves sur la poésie apprise dans la semaine.

– Toi, Samba, viens réciter *Le Corbeau et le Renard*...

Le trac coupe tous mes moyens. Pourquoi suis-je si impressionnable ? Je sais que le maître ne va rien me pardonner. Il sait que je suis capable ; il va falloir que je sois parfait... Que c'est difficile ! Je transpire, pâlis, tremble en commençant :

– Maître Corbeau, sur un arbre perché,
Tenait en son bec un fromage.
Maître Renard... euh... euh...

– Alors Samba, pauvre La Fontaine qui doit se retourner dans sa tombe en t'entendant ! Cela fait huit jours que tu apprends cette fable sans la connaître jamais. Cancre, avance vers moi et prends tes coups !

Pendant qu'il me donne des coups de règle métallique sur les doigts, je dois compter :

– Un, deux, trois, quatre, cinq, six, sept...

– J'arrête sinon je vais avoir mal au bras. De toute façon, tu ne retiens jamais rien. Peine perdue ! jette le maître.

Je suis vexé de ne pas recevoir tous les coups que je mérite. Suis-je donc devenu si irrécupérable que je ne suis plus digne de ma punition ? Notre maître est très sévère, comme tous les instituteurs en Afrique, et parfois même injuste. Il attend le meilleur de nous. C'est un perfectionniste.

Après avoir interrogé deux ou trois élèves, M. Kisito se met à réciter et nous promène de fable en fable, comme dans le plus clair et le plus mystérieux des jardins.

Sa voix, grave et contenue, nous ouvre l'une après l'autre les portes d'un monde inconnu. De longues minutes passent, pendant lesquelles la plus belle langue du monde, invitée par l'amoureux du français qu'est notre maître, envahit notre classe. J'ai alors le sentiment de recueillir les mots dans la conque de l'oreille, au creux de la main, dans la bouche.

À la fin de la journée, j'ai le sentiment d'être devenu l'enfant le plus riche du monde et d'avoir emporté avec moi les plus beaux trésors. Sur les cinq kilomètres qui me séparent de la maison, je récite *Le Corbeau et le Renard*, dont la compréhension est soudain devenue limpide et l'apprentissage facile.

Quant à la punition, mieux vaut l'oublier, car si j'en parle à la maison, grand-père redoublera le nombre de coups donnés par le maître. C'est la loi de la bonne éducation en Afrique !

Mardi
27

La liberté

Dix heures moins le quart. Un quart d'heure de bonheur ! Toutes les écoles du Cameroun sont en récréation !

Les enfants se retrouvent pour jouer ensemble. Les élèves de l'école coranique et nous sommes enfin libres !

Nous allons et venons ; il y a une farce qui part, une chanson qui éclate, un vacarme. Des cris s'échappent comme des gazouillis de moineaux. Nous improvisons d'interminables parties de football : tous pieds nus, nous tapons dans notre ballon, un citron, en lançant des « Gagné ! Gagné ! Gagné ! » chaque fois que notre citron dépasse le poteau.

C'est mon jour de chance ! Aujourd'hui, je marque trois buts.

À côté de nous, un groupe d'enfants s'exerce à danser le dombolo. C'est une danse de la République démocratique du Congo.

Son ancien président assassiné, Laurent-Désiré Kabila, avait une jambe plus courte que l'autre. Lorsqu'il dansait en public, il avait une manière bien à lui de se déhancher ! Et depuis, tous les jeunes de chez nous l'imitent. Cela a même donné naissance à une nouvelle danse : le dombolo...

Seïdou me propose :

– Allons, Samba, une goutte de bissap ?

Je tire sur la fleur d'hibiscus qu'il me tend, j'aspire le jus sucré, je mâchonne, c'est un pur bonheur ! En Afrique, le jus de la fleur d'hibiscus est tellement apprécié que les musulmans en font un sirop rouge sang qui flatte plus d'un palais.

– Tu as les yeux qui brillent, Samba ! Encore une petite goutte ?

Je vois quelques enfants ramasser en cachette des fleurs d'hibiscus, les glisser sous leur blouse ou dans leur poche comme des provisions. Ils se lancent des : « Là-bas, on dit quoi ? » pour se demander des nouvelles d'une école à l'autre.

Pendant ce temps, les filles rivalisent de talent ou d'imagination en tressant les cheveux de leurs copines. Certaines font des renversées, petites nattes couchées vers l'arrière de la tête, d'autres des rastas, multitude de petites nattes, et je les entends qui gloussent :

– Je te dois combien ?

– Toujours le même prix. Vingt-cinq francs C.F.A.[1] la tête !

Cela surmonte les applaudissements des supporters et les nombreux « Au ciel ! » qui accompagnent le jeu de la marelle comme une devise de combat.

Mais le temps fuit, les cours reprennent. C'est la cloche qui parle à présent. Seïdou a été élu régulateur ce trimestre, c'est lui qui sonne la cloche toutes les heures. Et ceci pour nos deux écoles. Enfin, si on peut parler de cloche, puisqu'il s'agit d'une vieille jante sur laquelle il frappe à l'aide d'un bâton d'acier. À chaque heure, un nouveau rythme nous étonne. Aujourd'hui, il a choisi l'air du *Premier Gaou* qui fait un tabac à la radio. Il ricane en haussant les épaules et s'applique encore davantage, tandis que nous scandons à l'unisson :

– Mossieu Seïdou ! Mossieu Seïdou !

1. Soit 4 centimes d'euro.

Mon grand-père

Mon grand-père a une voix fragile comme les rêves. Tout en lui est enseignement : sa parole, ses actes, le moindre de ses gestes, jusqu'à ses hésitations que j'aime écouter tant elles sont paisibles. Il dit :

– L'enfant est comme un arbre. Il a un tronc, des branches mais aussi des racines. Un arbre qui n'a pas de racines ne peut s'élever droit vers le ciel. Si tes parents et ton maître d'école t'aident à grandir, c'est à moi, ton grand-père, d'approfondir tes racines. *Na tumba na misso*. Je t'ouvre les yeux. Je te livre tous les secrets de la tradition.

Attentif comme doit l'être tout enfant au milieu des adultes, je ne perds pas un mot de ce que dit mon grand-père, même si je ne comprends pas toujours tout.

Je l'interroge :

– Grand-père, pourquoi dis-tu qu'un enfant ne doit pas pleurer ?

– Le sort de l'enfant qui naît est plus grave que celui de l'homme qui meurt. À la naissance tout enfant pleure. Et il a raison. Car il est plus douloureux de vivre que de mourir. Dès que tu commences à grandir, tu dois apprendre à ne plus pleurer pour devenir un homme. C'est plus douloureux que mourir.

– Quand est-ce que l'arbre devient grand ? L'enseignement s'achève-t-il un jour ?

– Il ne s'achève qu'avec la mort. Lorsque l'arbre a fini de pousser, ses racines doivent encore puiser dans le sol pour continuer à vivre.

Avant même de savoir écrire, j'ai appris à tout garder dans ma mémoire, j'ai appris par cœur les paroles de mon grand-père. Elles sont là contre mon cœur.

Mon grand-père nous aime beaucoup, mes frères et moi. Mais je crois qu'il me préfère à mon frère Anyuzoa qui, lui, adore jouer. Moi j'écoute et le lendemain, ou quelques jours après, je raconte à mes camarades ce que j'ai appris de mon grand-père. Mon nom prend tout son sens. Samba. Dieu. Celui qui n'oublie rien.

C'est mon grand-père qui m'apprend tout. C'est lui qui m'a appris à lire dans un livre où il y a écrit en grosses lettres qu'il faut obéir à ses père et mère. Je suis encore au CE2 et le maître me répète que tant que je ne saurai pas lire couramment, je ne pourrai pas passer au cours moyen.

Tous les soirs, dès que je rentre de l'école, grand-père m'attend pour l'exercice de lecture. Sur la tablette d'olivier, de sa craie, il dessine des phrases en alphabet gothique, cette écriture à caractères droits, à angles et à crochets, qui ressemble à de la calligraphie, avant de recouvrir la tablette de miel sauvage. Lorsque j'arrive enfin à déchiffrer les phrases, j'ai le droit de lécher la tablette et de les recopier dans un cahier d'écriture réservé à ce travail.

Grand-père, qui était à l'école allemande, a oublié qu'aujourd'hui on n'écrit plus en gothique. J'ai réalisé de fulgurants progrès pour lire l'alphabet de mon grand-père, mais j'ai toujours autant de mal à lire plus de quelques lignes du livre de lecture *J'apprends vite à lire*, ce qui fait la tristesse de mon maître qui sait que je suis volontaire et travailleur.

Je suis malheureux de n'avoir pas su réciter la fable de La Fontaine. J'ai déçu maître Kisito. Je me suis déçu moi-même.

Je ne dis rien à mon grand-père en rentrant le soir. J'ai trop peur qu'il se fâche. J'ai été assez battu. Mais j'entreprends aussitôt de recopier la fable du *Corbeau et du Renard* en lettres gothiques dans mon cahier d'écriture, sous son contrôle bienveillant.

Et ce cahier devient comme un trésor que j'emmène partout avec moi, caché dans mon cartable. Chaque lettre que je dessine fait surgir à mes yeux des choses que je ne vois pas : un fromage, un renard, un phénix... Oui, les mots sont de vrais magiciens, ils ont le pouvoir de faire apparaître un monde inconnu.

La nuit, je fais un cauchemar. Quelqu'un m'ouvre la bouche pour y installer des mots à coups de bâton ; certains sont noirs comme le corbeau, d'autres bien blancs. Heureusement, un renard prend ma défense et éloigne de moi l'envahisseur qui m'abandonne les plus beaux mots, les mots dorés. Curieuse fable que celle des mots !

Depuis que je sais écrire en lettres gothiques, aucun autre jeu ne compte autant pour moi ou, si j'en invente encore avec mes frères et sœurs, ils finissent toujours par me ramener à l'écriture. Alentour, le monde est désormais agrandi de signes et de figures invisibles. Grand-père m'a ouvert la porte des mots. Je lui en suis tellement reconnaissant ! Mon cahier d'écriture, je le porte sur moi comme un talisman.

LE PYTHON DE LA NUIT

Six heures du soir. Enfin, les poules ne se bousculent plus entre nos pieds. Elles sont toutes rentrées se coucher dans la cuisine. Oyono est chargé de les compter :

– Pok, ba, la, na, tan, saman…

Au bruit de ses pas, effarées, elles s'agitent et gloussent. Souvent, il leur crie :

– Bivol ! Taisez-vous, c'est moi !

Fier de lui, il referme la porte et annonce à nos parents qu'aujourd'hui aucune n'a été mangée par le renard.

Sept heures : maman a apprêté les boulettes de mil et chauffé l'huile de palme rouge, dans laquelle nous allons les tremper. Comme d'habitude, elle nous rappelle combien il est difficile de nourrir tous les jours treize personnes, plus les poules.

Grand-père est déjà là qui raconte des histoires. Et il arrive qu'on se roule par terre tant nous rions. Mon petit frère, Anyuzoa, sculpte sa boulette de mil et ne se préoccupe que de nettoyer le fond de la marmite commune. Quel gourmand celui-là !

« Papa est dans un de ses bons jours », me dis-je, en le voyant se balancer sur les bâtons de sa chaise.

Huit heures et demie. Maman jette de l'eau sur le feu. Un nuage de cendres monte comme une bête dérangée qui se fâche. Elle prépare la pâte de beignets pour le lendemain.

– Lou si ! Prends le ciel !

C'est ainsi que mon père bat chaque soir le rappel pour que ses enfants aillent se coucher. Tous obéissent. Je ne souris pas. Je n'en ai pas envie. Je pense à la nuit qui m'attend. À peine couché, les ennuis commencent, je m'énerve :

– Mais pousse-toi donc, Oyono, que j'étende mes pieds !

– Tu me déranges, Samba ! Laisse-moi dormir ! réplique mon frère.

La nuit chez nous est pire que le jour. La journée au moins, on peut se partager les charges.

La nuit, nous dormons tous ensemble dans la grande chambre des enfants, où nos lits picots se serrent l'un contre l'autre. C'est comme si nous dormions dans le même lit.

Dès que mes frères et sœurs s'endorment, ils ronflent, avec passion. Lorsque leur souffle me réveille, je me rends compte que nous sommes si serrés qu'il me faut dormir les jambes jointes. La colère me suffoque. La peur aussi. Tandis que mes parents s'imaginent que je suis dans mon lit à dormir tranquillement, je tourne autour de notre chambre en gardien fidèle. J'évite d'éternuer ou de tousser.

Finalement, je me couche par terre, les jambes bien écartées pour éviter le python qui avale toujours les hommes de la même façon, tout rond, en commençant par les pieds. Mon grand-père m'a expliqué que pour ne pas se retrouver dans le grand estomac du serpent, il faut dormir les jambes écartées. Après avoir avalé une jambe, le python se décourage car il reste bloqué au niveau de la taille, alors il change de proie.

À la manière des griots, je me chantonne une berceuse pour m'endormir. Décidément, la nuit, je déteste les familles nombreuses.

Le bonheur

Le temps qu'il fait, l'heure qui passe, n'ont pas de prise sur les enfants d'Étoudi. Le samedi ou le dimanche, nous sommes souvent au bord des routes ou à l'orée des bois à regarder couler le temps. Nous observons la boue que soulèvent les taxis-brousse, ces vieilles voitures déglinguées dont les chauffeurs sont si fiers. Les taxis-brousse permettent d'aller d'un quartier ou d'un village à l'autre.

Nous sommes là, debout, comme en rêve, à fixer ces gouttes fines qui tombent du ciel, à contempler ces sauterelles qui voltigent de feuille en feuille.

Aucun mot n'est échangé. Et toute la poésie de maître Kisito remonte d'un coup. Parfois, ma main touche une tige de manioc qui se met aussitôt à vaciller, de gauche à droite, de droite à gauche, d'arrière en avant et d'avant en arrière. Et moi je la fixe, émerveillé.

Seul compte le temps présent. Ni l'imparfait ni le futur n'ont de sens. Dans ce temps présent, je suis comme mamie Titi, la conteuse, qui sait allier les lumières et les ombres, les mystères et les évidences. Je comprends soudain que, comme l'a dit maître Kisito à propos des fables de La Fontaine, le présent est le temps du bonheur. On ne peut dire : j'étais heureux. On ne peut dire : je serai heureux. Mais on peut dire : je suis heureux !

Le présent, c'est du temps qui prend son temps.

Parfois un rat palmiste sort de terre, s'aventure entre nos jambes, interrompant ainsi le plaisir de ne rien faire. Il réveille en nous le désir d'aller à la chasse, de tendre des pièges et de faire rôtir ce gros rat à la chair tant appréciée ici.

Les jours de pluie, nous rentrons trempés. C'est le mot qu'emploie mon grand-père :

– Te voici joliment trempé !

Je me réchauffe au coin du feu, puis je vais manger quelques beignets, s'il en reste ; enfin je cours dans la salle commune où m'attend ma planchette qui porte encore le texte de la veille. Après que j'ai copié les nouvelles lignes que mon grand-père m'a données, je les lui présente.

Il les corrige, puis les lit à haute voix, tandis que je suis les mots du bout de mon index, avant de mériter le miel tant attendu.

Retournant dans ma chambre, je rabâche le texte dix ou quinze fois avant de le recopier soigneusement dans mon cahier d'écolier. Et si je ne m'en souviens pas, tant pis !

Tous les dimanches, nous dînons à la maison avec ma tante du quartier de la Briqueterie et mes oncles du quartier Bastos. Mes neuf frères et sœurs et moi sommes assis par terre, formant un demi-cercle autour de mon père, de ma mère et de nos invités.

Mes frères et sœurs n'aiment pas s'asseoir près de la tante Balbina. Elle n'a que deux dents, l'une noire et l'autre jaune, et un peu de moustache sur la lèvre, ce qui les effraie beaucoup. Mais ils n'osent pas dire à papa et à maman qu'elle ressemble à une sorcière ! Tous ont l'air de l'éviter un peu, sans le lui montrer.

Moi, cela m'est bien égal : elle ne me fait pas peur et même elle me fait rire, car elle raconte qu'elle a eu beaucoup d'« amants » dans sa vie. Tout le monde rit. Je ne comprends pas ce que c'est, mais ça m'amuse beaucoup.

Nous mangeons par roulement. Les adultes mangent d'abord, plongeant les mains dans la même marmite, les enfants ensuite. Notre père nous demande toujours d'écouter et de regarder les grands qui mangent, car c'est comme ça que l'on grandit. J'ai chaque fois envie de rire quand mes oncles mangent ! J'ai beau me retenir, c'est plus fort que moi. Mon oncle Pantaléon tousse, il tousse en mangeant, et il se gratte. Il finit par s'étouffer ; j'éclate.

Mon premier souvenir de cette scène date d'une fessée, mon second est plein de larmes parce que mon père m'a privé de repas. Il dit qu'il ne faut pas faire de cadeau à l'aîné de ses enfants. En général, quand mes oncles et ma tante se lèvent, leur front noir et vieux plein de joie, nous avons enfin le droit de manger ce qui reste.

Mes frères et sœurs et moi avons béni le jour où la pluie est tombée à torrents et où ils n'ont pas pu venir.

Baignade dans la rivière

Encore quelques jours à attendre et c'est jeudi. Ce jour-là il n'y a pas d'école. En Afrique, on l'appelle le jeudi des jeunes. Certains vont travailler aux champs, récolter le cacao ou porter les sacs de semailles ; d'autres jouent aux billes ou au football ; d'autres encore fabriquent des voitures en fil de fer qui imitent si bien les vraies, quand ils ne volent pas les bonbons sur les étals du marché central.

Seïdou et moi ne fréquentons pas la même école, ne parlons pas la même langue, mais le jeudi nous nous retrouvons au quartier pour jouer. Ce jour-là, tous les enfants de notre quartier pauvre, qu'ils soient chrétiens, musulmans ou animistes, glissent ensemble dans la boue comme un bouquet d'étoiles.

Dans le quartier Étoudi, nous n'avons que la rivière Éwoé, la rieuse, pour nous détendre. Éwoé n'est pas toujours propre.

Ses eaux sont troubles et mystérieuses. Dès la première plongée, les algues se déposent délicatement sur notre peau comme autant de tatouages ou de décalcomanies.

Éwoé n'est pas toujours sage. Il arrive que son gosier avide avale plusieurs enfants d'un coup et ne les rende à leurs parents que bien des jours plus tard, morts. On dit ici qu'au fond des eaux se cache la mamie Wata, la sorcière des eaux, un esprit mauvais qui se régale avec la chair fraîche des enfants. Nous sommes des proies faciles car, comme tous les Africains, nous nageons très mal.

Certains jeudis, quand nous n'allons pas nous amuser dans la rivière, le père Schmitt nous demande de venir travailler à la mission catholique. Il faut sarcler l'herbe autour du presbytère pour éloigner les serpents, laver et repasser les vêtements pour la messe.

Ce matin, en cherchant de l'eau au puits, j'ai le pressentiment que le diable approche. Alors que j'amorce la côte raide qui conduit à l'entrée du quartier, le chat qui m'accable de gentillesses me donne un coup de griffe inattendu, avant de disparaître en miaulant. En rentrant, je me confie à papa, assis devant la maison en train de tresser :

– J'ai encore vu ce chat noir au puits tout à l'heure. Il m'a griffé !

– Un chat noir ? répète mon père.

– Vrai de Dieu ! Il m'a regardé, regardé, regardé. Mon cœur tapait le tam-tam !

– Ça ne m'étonne pas, la nuit dernière le renard a mangé une poule et moi je n'ai pas fermé l'œil. J'avais mal à la tête. Le chat a six yeux. Il voit venir le malheur. Deux de ces yeux sont faits pour voir notre monde. Deux pour voir dans l'au-delà, dans le royaume des ancêtres, avant la naissance et après la mort. Les deux derniers permettent aux sages de lire les événements à venir.

– Moi, je n'ai vu que deux yeux...

– Et pourtant il en avait six, insiste mon père.

– Crois-tu que je pouvais lire quelque chose dans ses yeux ?

– *Singa na muna nu m'ondee musinga*, dit-on dans notre langue, le chat est comme un enfant qui grimpe au fil. C'est-à-dire qu'il est habile à dissimuler la vérité.

– Ah ! Papa ! J'ai couru, couru, fatigué.

– Ça va aller, mon fils, ça va aller. Va t'amuser à la rivière. Je travaille...

La vie des petits cochons, c'est ainsi qu'on nous appelle, est réglée comme du papier à musique, de sorte que toutes les heures de l'après-midi du jeudi se trouvent pleinement occupées par les batailles d'eau et la baignade. Nous évitons d'aller là où nous n'avons pas pied, mais parfois le plaisir du jeu nous entraîne et notre attention faiblit.

Ce coin de rivière est à l'ombre de palétuviers et de palmiers à huile, qui abritent d'août à mars des cigognes blanches trouvant là un petit paradis de rongeurs, de lézards et de serpents. Elles viennent s'y reposer, fuyant l'hiver, et quelques-unes battent de l'aile lourdement en nous voyant arriver, puis se réfugient au sommet des arbres les plus élevés.

Ignace et Seïdou ont peut-être trop longtemps observé ces beaux oiseaux qui les font rêver de voyage... Le fait est que les jeux de la baignade les ont entraînés très loin de la berge et mamie Wata les a encerclés de ses bras puissants et ondoyants, avant de les faire disparaître.

Seïdou s'est longtemps agrippé à Ignace, Ignace à Seïdou, mais tous deux ont fini par être engloutis malgré nos cris de détresse.

L'ENQUÊTE

– Réveille-toi Samba, me lance ma mère. Quel sommeil tu as ! Habille-toi vite, et rends-toi à la rivière.

– Là-bas, on dit quoi ?

– Soundiata le féticheur est là pour faire revenir Ignace et Seïdou. Cours vite à la rivière !

Plein d'espoir, je me précipite dehors. Chez nous, le féticheur est celui qui voit loin. Il peut prévoir le changement des saisons et la migration du gibier. En regardant la lune, il prévoit la durée de la sécheresse. On dit que parfois il peut faire revenir les morts. Tout le quartier est là, autour de Soundiata qui fredonne une berceuse pour amadouer mamie Wata :

Rivière Éwoé, belle comme une antilope
coiffée de rosée !
Peux-tu, avant l'apparition du grand soleil,
Nous rendre ces enfants que tu nous as
enlevés ?

Rivière Éwoé, belle comme une antilope
coiffée de rosée !
Dans le courant de ton onde épurée
Rends-les, rends-les !

Soundiata, un sourire à l'un des coins de ses lèvres, une cigarette mouillée à l'autre, déverse de l'alcool de maïs dans les eaux tumultueuses de la rivière.

– Encore un peu de patience, lance-t-il alentour, bientôt mamie Wata sera ivre ; il faut tout faire pour l'adoucir, alors elle vomira vos enfants et vous n'aurez plus qu'à les réchauffer dans vos bras...

Tandis que le tam-tam répond aux paroles du féticheur, tous reprennent la berceuse en chœur.

Et moi, j'ai le cœur qui bat. J'attends avec impatience que mes camarades émergent et je m'apprête à les serrer contre moi.

Mais le temps passe, les minutes succèdent aux minutes et aucun enfant ne sort de l'eau. Dans les yeux de Soundiata je devine l'inquiétude qui grandit. Sans plus s'occuper de mamie Wata, le regard agacé, il bat lui-même le tam-tam.

Au moment où je vois surgir deux gendarmes en uniforme, je sors à regret de ma rêverie. À peine sont-ils arrivés que le village s'aligne derrière eux comme des enfants à

l'école. Le chef du quartier les accueille, en regardant Soundiata d'un air désolé.

– Bienvenue, mon commandant. Bienvenue dans notre quartier !

Je comprends soudain que Soundiata ne peut plus rien faire et que je ne reverrai sans doute jamais mes camarades.

– Que tous ceux qui jouaient dans l'eau le jour de la noyade s'approchent de moi, ordonne le commandant.

Je me bouche les oreilles, mais la voix glisse comme les poissons de la rivière Éwoé. Impossible de m'enfuir. Il se penche vers moi :

– Où ont-ils disparu ?

Je me jette en arrière, m'enfuyant presque :

– Là !

Je désigne le centre de la rivière, où les flots tourbillonnent violemment.

– Oui, c'est là, reprend un autre de mes camarades.

– Voilà ! nous dit le commandant en se tournant vers son collègue. Nous avons la réponse à notre question « comment sont-ils morts ? » : il y a là un trou d'eau qui a déjà fait beaucoup de victimes. Depuis mon arrivée à Yaoundé, c'est le dixième enfant qui meurt noyé à cet endroit.

Le gendarme à ses côtés ajoute :

– Il y a trois lunes, mon commandant, avant votre arrivée, cette rivière a déjà tué des dizaines d'enfants, dont on n'a jamais retrouvé les corps.

– Et il y a trois mois, qu'avait révélé l'enquête ? interroge le commandant.

– Mais c'est la mamie Wata qui les a mangés ! jette un enfant de l'assistance.

– Elle a bon dos, la mamie Wata ! rétorque le commandant. Il suffit de ne plus se baigner dans la rivière pour que mamie Wata ne vous mange pas ! Mamie Wata... Ces quatre syllabes ont bon dos, décidément, de petites syllabes bien connues, trop connues : *ma, mie, wa, ta.* Elles vous bercent de ces mensonges que l'on raconte le soir, autour du feu, pour consoler ceux qui sont dans la peine. Un homme est frappé par la foudre, on crie au diable ! Un autre tombe d'un arbre, on dit qu'il a été aspiré par le dieu des airs... Quand on ne sait pas danser, on accuse son pantalon ! Abandonnez vos contes, mes enfants, et soyez un peu plus prudents, tout le monde s'en portera mieux dans le quartier.

Mes larmes sont trop lourdes pour monter jusqu'à mes yeux. Je comprends que le commandant a peut-être raison. Mes amis sont définitivement perdus pour moi. Tout le monde se tait. Même Soundiata ne parle plus. Seul s'élève le couinement des vieilles semelles dans le sable.

Ô SOLITUDE !

Que peut faire un enfant tout seul quand il arrive à l'école ? Que peut faire un enfant dont tous les autres se sont toujours moqués, parce qu'il arrive à l'école couvert de poussière durant la saison sèche, et de boue pendant la saison des pluies ? Que peut faire un enfant seul, sinon s'enfoncer dans une solitude toujours plus grande ?

Le premier jour, à l'école, un camarade m'avait insulté d'un mot, d'un geste :

– Tiens, v'là un *ngoé* d'Étoudi !

Et il avait continué son chemin. Cochon ? Ah ! j'avais envie de courir après lui et de lui demander pourquoi il m'avait jeté entre les dents, et sans me regarder en face, ce mot qui me faisait mal ! *Ngoé* ! Cochon !

Certes, la première année, au cours préparatoire, lors des tout premiers jeux comme la marelle ou le jeu de cache-cache, j'avais demandé à mes camarades de jouer avec moi. Mais le plus souvent, ils avaient refusé. Alors je m'étais habitué à rester dans un coin, à compter mes rares billes ou à jouer dans la rigole du chemin.

Au cours de l'année, je m'étais fait quelques amis qui venaient, comme moi, du quartier où les chevaux hennissent, où les cochons se traînent en grognant, une corde à la patte, où les poulets s'égosillent devant les maisons. Je revois les palmeraies du chemin de l'école où l'on s'enfouissait jusqu'aux yeux, d'où l'on sortait hérissé et suant, avec des épines qui nous restaient dans le cou, le dos, les cheveux et nous piquaient comme des épingles.

– Enfant où es-tu ? Où te caches-tu ? lançait l'un d'entre nous, pendant que l'autre filait se cacher entre les ronces et les branches de palmiers.

– Me voici ! annonçait toutes les joies d'une fête, toutes les émotions de l'excitation...

Quelles minutes ! Que se passait-il ensuite ? On cherchait derrière chaque palmier et sans revenir en arrière. Souvent, il fallait recommencer, avant de découvrir l'ami tapi comme un lézard parmi les hautes feuilles.

Que peut faire un enfant quand il arrive à l'école avec seulement le souvenir de ses amis ?

Je me rappelle que le long du chemin les corbeaux dansaient devant nous ; que nous salissions nos uniformes en sautant dans des flaques qui sentaient mauvais ; qu'au fond de la cour de l'école le paysan engraissait ses chèvres. Parfois, il nous laissait tresser des feuilles de bambou, avec lesquelles on bourrait les boucs et les chèvres, et elles les étouffaient. Notre grande joie était de les voir suffoquer, d'observer leurs yeux devenir presque bleus. Seïdou aimait particulièrement le bleu. En nous quittant, nous chantions souvent :

À demain !
Demain il fera beau sur la grand-route
Demain il fera beau sur les chemins
À demain !
Demain, un jour nouveau
Demain, tous les oiseaux
Chanteront sur la route :
« À demain ! »

Mais il n'y aura plus de demain. J'épelle les noms de mes amis perdus :

– *S e ï d o u, I g n a c e...*

Leurs douze lettres se bousculent en moi. La tristesse vient à mon secours et me fait trouver certaines heures très belles, très douces sur la grande place qui mène à l'école. Je compte douze cailloux, je les dépose au bord du chemin. Je compte les oiseaux dans le ciel. J'écris « tourterelles » dans la poussière. Le mot a douze lettres comme les noms de mes amis. Maître Kisito serait fier de moi. Le mot est venu tout seul, je n'ai presque pas eu besoin de compter. Pour une fois, il n'aurait pas eu besoin de me corriger, de me taper sur les doigts.

J'attends. J'attends, immobile. Quand les oiseaux prennent leur envol, j'ouvre les mains. Chez nous, si on reçoit la fiente au creux de la main, c'est que notre vœu va être exaucé. Je tends les mains et je chante :

À demain…

Les charges de la troisième lune

Cela fait déjà trois lunes que chacun fait ses charges. Il est temps de changer. Mon père nous fait venir en commençant par le dernier des enfants. C'est Oyono.

Chez nous, chaque nom est lié à un événement. Oyono, dont le nom signifie bruine, est né un jour de crachin.

Eyono, dont le nom signifie buée, est né un jour de grand brouillard.

Anyuzoa, dont le nom signifie gueule d'éléphant, est né un jour de grande chasse à l'éléphant.

Efa, la moitié dans notre dialecte, est né un jour de demi-lune.

Ngon, la lune, un jour de pleine lune.

Yobo, le ciel, est née alors qu'elle n'était pas attendue, proprement envoyée par le ciel.

Mbarga, la peur, a failli mourir à la naissance.

Akoa, la pierre, est née avec une tête particulièrement dure.

Ntoutoum, l'arc-en-ciel, est née le jour où un immense arc-en-ciel éclairait le village.

Tout le monde attend sa nouvelle charge : ménage, balayage, épluchage, corvée d'eau, ramassage d'ordures, vaisselle, linge...

Je souffre. Je me mets à distance de mon père pour qu'il ne me voie pas, je ne donne pas l'air de vouloir changer de charge. Je suis fidèle aux leçons de ma mère. L'angoisse est telle que j'ai l'impression que mon corps se vide de son sang. J'ai peur que mon père ne m'oblige à retourner au puits tous les matins parce que je suis l'aîné.

J'entends :

– Yobo ira chercher l'eau au puits et Samba se chargera de l'épluchage...

Mon mal de tête s'en va. Je m'occuperai donc de l'épluchage des bananes, du manioc, des patates douces et je pourrai en manger un peu avant tout le monde. Cela me fait plaisir, cela me fait du bien. Mais la voix de mon père s'arrête. Il tape du pied, fait claquer ses doigts.

Que se passe-t-il donc ?

Je ne comprends guère, mais il me semble que Yobo est pour quelque chose dans cette colère blanche. Il pleure parce qu'il a peur de sortir seul chercher de l'eau. Il n'a que sept ans.

– Viens ici, Yobo !

Il avance en reniflant. Il est bousculé par mon père et manque rouler dans le foyer couvert de cendres. Je l'entends tomber avec un bruit mou et je me sauve. En Afrique, on ne contrarie pas ses parents.

Le tam-tam des cauchemars

Quelques semaines après la disparition de mes deux camarades, j'ai une nouvelle crise de paludisme.

J'ai toujours été un enfant malade. Ma mère, parce qu'elle ne s'est jamais correctement soignée par manque d'argent, m'a transmis le paludisme à la naissance. Comme si cela n'avait pas suffi d'être venu au monde au bord de la route, sur le chemin du dispensaire, je suis né malade et j'ai bien failli en mourir.

Heureusement, une vieille guérisseuse passait par là au bon moment et m'a donné les premiers soins.

Néanmoins, de fortes fièvres me clouent régulièrement au lit et il n'est pas une année qui n'apporte sa crise, terrassante. D'affreux accès de fièvre, propices aux pires délires et aux cauchemars les plus atroces, me saisissent.

Pouvez-vous seulement imaginer le sentiment de honte qu'éprouvent, au milieu des autres, les enfants paludéens qui n'ont que l'écorce de quinquina pour se soigner ? Mon grand-père a planté cet arbuste devant notre case, car il sait qu'une infusion soulage les crises. Jamais nous ne pourrons nous rendre au dispensaire acheter la nivaquine pour nous protéger de la malaria. C'est très cher.

La rumeur monte que les mares d'Étoudi infestent le reste du pays. La tisane que ma mère me fait boire est si amère faute de sucre ! C'est devenu un calvaire de l'avaler. J'attends qu'elle ait tourné le dos pour la verser par terre.

Parfois, le père Schmitt donne de la nivaquine en échange de menus services. Quand l'équipe de Médecins du Monde vient à Yaoundé, elle lui remet des cartons de médicaments qu'il distribue. Cela nous évite d'absorber trop souvent cette boisson amère qui a tant de mal à passer.

Ce soir, ma température monte et dépasse quarante. Le tam-tam se réveille dans ma tête. J'ai mal. Mon corps est traversé de frissons. J'ai froid. J'ai chaud. J'ai envie de vomir. Je délire.

Je rêve que mamie Wata m'entraîne dans les eaux tumultueuses d'Éwoé, tandis que je hurle en me débattant en vain.

Je délire encore, alors que ma mère pose sur mon front une gourde d'eau fraîche. Je suis couché dans mon petit lit picot, dans la case familiale avec, au pied du lit, posés à même le sol, mon pantalon de cotonnade blanche et ma chemise bleu ciel, l'uniforme de l'école.

Parfois, si je bouge, le fermoir de ma ceinture de cuir heurte les panneaux du lit avec un léger tintement métallique. C'est le bruit que fait mamie Wata quand elle fend les eaux boueuses pour venir me chercher !

Longtemps, je crois réellement qu'il y a quelqu'un tapi au pied de ma couche, accroupi derrière l'armoire peut-être, prêt à bondir au moindre de mes mouvements. Chose étrange, cette certitude, je ne la dis à personne, de peur que l'on se moque de moi.

Cette sensation, je la ressens souvent lors de mes crises, précise et hallucinante.

Ma raison a beau combattre une angoisse si absurde, j'ai beau être convaincu que mamie Wata ne peut pas venir me chercher jusque dans mon lit, un obscur mouvement en moi continue de le croire.

LES CONTES DE MAMIE TITI

Pendant une semaine, je ne peux plus me rendre à l'école. Je passe mes journées à dormir ou à aider mon père à tailler les roseaux pour tresser les paniers.

Quand la fièvre me quitte, je reprends mon cahier et je poursuis l'exercice d'écriture. Je fais de grands progrès en quelques jours. Mon grand-père est fier de moi.

Malgré la maladie, je suis moins fatigué que les jours d'école où il faut tellement marcher...

Parfois je vais écouter mamie Titi, la conteuse, au pied de l'arbre à palabres. C'est une vraie conteuse des villes, ce qui est rare aujourd'hui en Afrique. La place du quartier ressemble à un monde en miniature.

Les enfants écoutent, bouche bée, la vieille femme édentée qui, tous les soirs de pleine lune, nous raconte l'histoire du monde et des hommes.

Elle manie des silences, des chansons, mais le plus important, c'est qu'elle connaît chacun d'entre nous. On dirait que chaque mot, chaque histoire, nous sont destinés en particulier.

Aujourd'hui, mamie Titi raconte l'histoire de la création du monde :

– Au commencement, il n'y avait que le ciel. Tous les hommes, toutes les femmes, tous les animaux, tous les insectes, tous les végétaux, vivaient au ciel. Zamba, leur créateur, décida de ne donner les voies de la connaissance qu'aux hommes, aux femmes et aux animaux.

Il dit : « Je vous donne deux oreilles, deux yeux, deux narines, mais une seule bouche. La bouche peut bénir ou maudire. N'en faites que le meilleur usage ! Ceux qui n'obéiront pas quitteront le ciel et iront vivre sur terre. »

Au varan, grand lézard de la taille d'un caïman, il ordonna : « Chaque fois que quelqu'un dira du mal de l'autre ou de la nature, cours vite me le raconter ; je te fais confiance... »

Le premier soir, l'homme et la femme entrèrent dans une vive dispute. Le varan ne dit rien. Pourtant le lendemain, l'homme et la femme furent exclus du ciel et se réveillèrent sur terre.

Puis ce fut le tour de certains animaux qui s'étaient battus, mais le varan ne disait toujours rien. Toutefois il se rendait à la mare, se rinçait la bouche et les oreilles, se frottait les yeux, en répétant qu'il n'avait rien entendu, rien vu et que sa bouche n'avait prononcé aucune parole.

Zamba, qui sait tout, qui voit tout, fit venir le varan et l'interrogea : « Varan, que se passe-t-il donc dans le ciel ? »

Ouvrant la bouche, le varan dit : « Regarde, ma bouche est propre, elle n'a prononcé aucune parole, mes oreilles sont toujours lavées et mes yeux n'ont rien vu. »

« Maudit sois-tu, menteur ! Je te condamne à retrouver l'homme et la femme sur terre. Tu ramperas et ils mangeront ta chair. Et tu seras à jamais sourd et muet. »

Seuls quelques enfants et certains animaux qui n'avaient pas fait mauvais usage de leur bouche furent récompensés par Zamba : « Vous qui êtes restés bons, vous serez autant d'étoiles dans le ciel qui veilleront à la vie sur la terre. »

J'aime mamie Titi. J'aime qu'elle raconte l'histoire de Zamba. Je suis fier alors de porter mon nom. Tous les enfants me regardent avec envie. Je suis heureux.

Pendant que mamie Titi parle, j'aime m'asseoir à côté d'elle, me laissant caresser les cheveux par sa main douce et odorante.

Elle nous apprend que les étoiles filantes sont complices des dieux qui surveillent les travaux des vivants, que les rivières sont de longs cils de jeunes filles qui dansent avec le vent.

Elle nous apprend que les corbeaux, les renards, les cigales, les herbes, les arbres, sont devenus tristes, de plus en plus silencieux, puis se sont définitivement tus. Ils ont fait le choix du silence, comme le font les enfants ou les vieillards à qui personne ne parle. Certains de ces êtres à qui on ne parlait pas ont même décidé de disparaître, ce sont les dinosaures, les mammouths et les singes géants.

Malgré la beauté et la magie de ces instants, je ne peux m'empêcher de penser à mes compagnons de jeux, avalés par le ventre de la sorcière des eaux. Reviendront-ils un jour nous voir sous la forme de petites constellations dans le ciel ?

LE CAMÉLÉON SACRÉ

Aujourd'hui, le vent chaud souffle de douces haleines, remue les grandes feuilles de bananier, en montre les dessous vifs, et le sentier est parcouru de frissons.

Je n'aime pas aller à la mission catholique mais il le faut : nous n'avons plus d'écorce de quinquina à la maison. J'ai été tellement malade que je préfère avaler un comprimé. Je redoute de me rendre chez le père Schmitt car, même s'il nous donne de la nourriture et des pilules contre le paludisme, il élève des caméléons pour nourrir ses hiboux.

Ce reptile est le totem de notre tribu. Depuis des générations, on dit que grâce à lui nous avons évité les pires malheurs. C'est pourquoi nous le considérons comme sacré.

Certaines familles de forgerons ont élu le caïman comme totem, parce qu'une légende raconte que le premier forgeron a été sauvé par un caïman qui lui a donné à boire dans sa gueule.

D'autres adorent le baobab parce qu'il est le cycle de la vie ; d'autres encore, les escargots pour leur lenteur et leur grâce.

Le père Schmitt dit que les caméléons sont d'horribles bêtes : leur tête remuante, leur langue fourchue et leur crête dorsale lui font penser au diable !

Quand j'entends cela, il m'arrive de le haïr. Il semble ignorer que tous les éléments de la nature sont vivants : les mers, les collines, les arbres, les fleurs, les pierres...

Et parmi les animaux, le caméléon est sans doute l'un des plus mystérieux. Il a un œil tourné vers le futur, l'autre vers le passé. On dit que sa mémoire n'oublie rien et que son flair pressent les événements.

Le président du pays voisin, le Togo, se fait appeler « Le Caméléon » car il avance lentement mais finit toujours par arriver à son but.

Aucun arbre de la forêt n'est jamais trop haut pour le caméléon et aucune feuille, même la plus fragile, ne cède sous son poids.

Lorsque ses caméléons sont assez gros, le père Schmitt les donne à manger à ses hiboux qui trouvent alors la force de débarrasser la paroisse des rongeurs. Il refuse d'admettre que pour les Africains le hibou est un animal maudit. Mon grand-père dit toujours :

– La poule on s'en sert pour avoir des œufs, donc on la protège du serpent... Et si on souhaite la manger un jour de fête, il faut la gaver de mil.

Donner à manger au hibou ! Pourtant tout le monde sait que lorsqu'on l'entend hululer dans un village ou un quartier, c'est le signe qu'un homme est sur le point de mourir ! Et que les méchants, quand ils disparaissent, reviennent sous la forme d'un hibou pour hanter nos nuits ! Le père Schmitt devrait renoncer à les nourrir et les laisser retourner dans les bois...

Le père me demande :

– Dis, Samba, as-tu toujours aussi peur des hiboux ?

– Non, père, ce ne sont pas tant les hiboux qui me font peur que le fait qu'ils mangent le caméléon, totem de ma tribu...

– Ce sont d'atroces pratiques animistes ! J'espère que le petit Jésus t'en détournera le jour de ton baptême !

– C'est quoi des pratiques animistes, père Schmitt ?

– C'est le fait d'accorder autant d'importance aux plantes et aux animaux qu'aux hommes et de croire que tous ont une âme. C'est bien ce que tu penses ?

Je me demande pourquoi ce qui me semble une évidence choque à ce point le père Schmitt. Ce qui m'étonne, c'est que ce Blanc passe de longues heures à admirer la nature et à se promener dans la forêt et n'a jamais remarqué que chez nous, tout est vivant.

Dépité, je rentre chez moi, dégoûté par ces étranges pratiques catholiques qui se veulent plus vraies que les nôtres.

Au quartier, je peux enfin me livrer à mon jeu préféré : la chasse aux escargots. Ce jeudi-là, je n'ai pas le goût à m'amuser avec les autres enfants près de la rivière. Le souvenir de la noyade est encore trop vif et je tourne désespérément en rond dans le bois autour du quartier.

J'aperçois soudain, collé à une feuille du grand bananier qui pousse contre un vieux mur, un escargot veiné de rose et de noir, comme j'en vois si souvent. Je décolle le gastéropode de sa feuille, en tirant légèrement sur la coquille et je le prends dans ma main où je le regarde quelques instants avec ravissement. C'est l'animal totémique des tisserands qui seront fiers de me voir m'amuser avec les escargots plutôt que de les tuer ou de les manger.

Chaque fois qu'il a plu, je descends jusqu'au bois et je ramasse des escargots que je rapporte ensuite à la maison et avec lesquels je joue pendant des heures. Il m'arrive de leur donner des noms. Aujourd'hui, je décide de l'appeler Seïdou.

En baptisant mes escargots, j'agis comme mamie Titi, la vieille conteuse du quartier qui, en nommant le monde, l'empêche de disparaître. Grâce au père Schmitt, je suis devenu protecteur de la nature !

UN CAHIER DE MIEL SAUVAGE

Quelques jours plus tard, j'oublie mon cartable à la mission catholique. Pendant la récolte des arachides, un gros orage s'annonce et les enfants se dépêchent de rentrer chez eux en courant. Le père Schmitt fouille le cartable pour savoir à qui il appartient et envoie quelqu'un à Étoudi me prévenir. Il a également convoqué mon père et mon grand-père pour leur parler, ce qui m'a valu une grosse réprimande. Ils ont raison, une sourde angoisse aussi me mène.

Que peut me vouloir le père Schmitt ? Je voudrais être une hirondelle, parcourir rapidement le petit kilomètre qui me sépare de la paroisse, interroger le père pour savoir ce que j'ai pu faire de mal. Une amère pitié pour moi-même me gagne. Je ne pense plus dès lors qu'à rentrer chez moi, avant d'en être parti ! Il me semble que je n'arriverai jamais au presbytère, tant mon père aveugle traîne des pieds ; toutes mes forces et cette espèce de confiance désespérée que j'ai retrouvée grâce aux efforts de mon grand-père m'abandonnent d'un coup.

Je ne sais plus quoi penser en voyant arriver la grande silhouette du père Schmitt. Dans sa main gauche, il tient mon cartable et, dans la droite, mon cahier d'écriture. Sans avoir pris le temps de nous saluer, il parle déjà :

– Il est à Zamba ce cahier ?

Mon père se tourne du côté où je ne suis pas et, me cherchant de ses yeux vides :

– Où es-tu, Samba ?

– Ici, papa, c'est mon cahier.

– Oui, c'est son cahier, reprend mon grand-père, je le reconnais à sa couverture qui porte les traces de miel sauvage.

Des reproches, oui, je m'attends à ce que le père Schmitt m'en fasse ; je les espère presque ; mais je voudrais que ce soient des reproches tendres, et qu'il me les fasse avec bienveillance.

Le père se tourne alors vers mon grand-père :

– Quel âge a-t-il, Zamba ?

– Dix ans, je crois.

– En quelle classe est-il ?

– En cours élémentaire deuxième année. Il a du retard...

– Je crois bien, en voyant son travail, qu'il devrait être en cours moyen deuxième année, rétorque le père. Je vous propose une petite bourse de soutien. Ce cahier est un véritable chef-d'œuvre qu'il faut conserver.

Aucun de nous trois ne comprend ce que veut dire le mot « chef-d'œuvre », mais nous avons tous compris que le père est content et prêt à soutenir mes études. Je reste silencieux comme doit l'être tout enfant au milieu des adultes, pourtant je ne perds pas une miette de ce que j'entends. La fatigue me tombe sur les épaules, en même temps qu'un bien-être naissant, tandis que je suis là, debout, à écouter les paroles du père Schmitt. Il tire de sa soutane grise un billet de dix mille francs C.F.A.[1] et le remet à mon père qui interroge mon grand-père :

– Combien j'ai en main ?

Mon grand-père lui murmure la somme à l'oreille.

1. Quinze euros.

Je me jette en larmes dans les bras de mon grand-père et je crois sentir une de ses propres larmes, humides et chaudes, couler dans mon cou. Le père Schmitt nous bénit tous les trois, nous promettant tous les mois la même somme.

Ce jour-là, un bref instant, je suis Zamba. Dieu. Je suis enfin l'aîné, capable de s'occuper de ses parents et de ses frères et sœurs. Sur le chemin la pluie recommence à tomber. On dit qu'elle est de bon augure ! Ma mère nous voit arriver. Peut-être a-t-elle pressenti quelque chose. Elle court dans la boue, perdant ses vieilles chaussures.

– C'est comment alors ? demande-t-elle, dans son français tout camerounais.

– Ben ! Le père Schmitt nous a donné un gros billet de dix mille francs.

– Il nous a cadeautés ?

– Oui, parce que mon cahier d'écriture est très beau !

– Vraiment de Dieu ! Par Zamba ! Nous allons enfin cesser de misérer alors…

– Et il va nous verser ça tous les mois !

Ma mère pousse un *oyenga* de joie, aussitôt interrompue par mon père qui ne veut pas éveiller la curiosité des voisins. Derrière ses yeux aveugles, je lis sa joie, immense. Oui, c'est la belle vie qui va commencer. Pouvoir être à l'aise sans penser à demain.

Aller à l'essencerie chercher du pétrole pour nos vieilles lampes qui fonctionnent à l'huile de palme, manger des sardines en conserve et un peu de viande salée, avoir enfin une culotte pour moi tout seul, acheter un cahier neuf et peut-être même un dictionnaire.

Le monde dans une puce

La nuit, j'ai fait un rêve très étrange qui me turlupine. Il ressemble à un conte de mamie Titi que j'ai dû entendre un jour. C'est l'histoire d'une puce et d'un rat des champs.

Un jour que le rat des champs fêtait les semailles, il invita la puce à venir savourer les meilleurs produits de sa terre : des ignames, des patates douces, des arachides, des goyaves, des mangues, des papayes...

La puce avala d'un coup tout ce que son ami le rat lui avait proposé, mais elle avait toujours faim.

– Ami rat, aurais-tu encore quelque chose à me donner pour calmer ma faim ?

– Ma puce, ce que je t'ai donné, je l'ai volé aux hommes qui font leurs récoltes, il ne me reste plus rien.

– Alors, ami, puisqu'il en est ainsi, c'est toi-même que je vais manger.

Aussitôt dit, aussitôt fait. La puce avala le rat et grossit d'un coup. Elle prit le chemin du village, en criant famine. Elle rencontra un chien.

– Ami chien, aurais-tu quelque chose pour moi ? J'ai très faim.

– J'ai ce qu'il te faut, une seconde, ma petite puce. Voilà, tu as le choix : mes restes d'os, mon écuelle d'eau... Cela te conviendra sans doute.

– Pas du tout, répliqua la puce, car j'ai encore plus faim qu'avant.

Elle se glissa dans la niche du chien, l'avala et s'en alla, ragaillardie et grossie.

Elle poursuivit son chemin et rencontra un homme d'au moins soixante ans.

– À votre âge, monsieur, vous savez certainement comment rassasier une puce qui a très faim.

– Voilà. Ma femme n'a plus de dents et ne supporte plus de manger des noisettes. Je te les donne, elles te rassasieront sûrement.

La puce avala les noisettes, plus le vieillard, plus sa femme, ses deux fils, leurs cousins et leurs cousines.

Tout le village y passa. Le monde entier y passa. N'ayant plus rien à manger, elle but toutes les rivières, tous les fleuves, toutes les mers.

Enfin, le monde reprit sa place dans son ventre. Les villages s'étaient reconstitués, les familles s'étaient retrouvées, le rat avait refait son trou et le chien retourna dans sa niche. Les rivières, les fleuves, les mers, coulaient à nouveau, et tout cela dans le ventre d'une puce !

À mon réveil, je raconte ce rêve étrange à mon grand-père qui m'explique :

– Fils de mon fils, ce conte a bercé l'enfance de ton père, celle de ton grand-père, celle de ton arrière-grand-père et de ton arrière-arrière-grand-père. Les Betis pensent que le monde tient dans le ventre d'une puce. Quand elle saute, il arrive les tremblements de terre, les noyades, les guerres, les volcans qui crachent le feu... Les savants disent que la terre est ronde, mais la vérité c'est que la forme de la terre s'adapte au ventre de la puce. Les morts ne sont pas morts. Ils se promènent encore. Mais seule la puce sait où ils logent dans son ventre.

Malgré la beauté de ce rêve, la tristesse ne me quitte pas. Je ne peux m'empêcher de penser à mes anciens amis, et j'en veux à la puce d'avoir sauté une fois de trop. Comment faire pour les retrouver dans ce ventre immense ?

Au marché Mokolo

Quel bonheur d'être riches ! Nous décidons d'aller tous ensemble au marché Mokolo, c'est la première fois.

Nous montons dans un taxi de la prestigieuse marque française Pigeot pour nous y rendre. La Pigeot bâchée, mangée par la rouille, laisse voir des portions de route à travers le plancher, mais le moteur est en parfait état. D'ailleurs, la voiture démarre au quart de tour. Pas besoin de la pousser…

Très fier, le chauffeur raconte que toutes les pièces du moteur ont été remplacées par un forgeron venu du Nigeria. Seuls les pneus n'ont pas été changés, ils sont lisses comme des œufs, ce qui n'est pas commode pour sillonner les pistes en latérite rouge, parsemées de gravillons.

Les quelques rares chaussées goudronnées se trouvent dans le centre ville et encore, elles se creusent rapidement de larges trous que nous appelons ici « pièges à cons ».

Le pick-up est à peine assez grand pour nous contenir tous ! On est si serrés que chacun a une épaule ou un genou qui entre chez le voisin, tous égayés, épanouis de se sentir ainsi les coudes. Un rire continu de joie tient nos bouches ouvertes, fendues jusqu'aux oreilles.

Pour aller du quartier Étoudi au marché Mokolo il faut dévaler la colline. Le chauffeur roule très lentement : il n'est pas sûr de ses freins.

Lorsque la voiture s'immobilise, son motor boy, le jeune garçon qui l'accompagne, descend mettre un morceau de bois pour remplacer le frein à main.

Les étrangers s'enrhument très vite, car la poussière des pistes envahit l'habitacle et fait tousser.

Mes frères, mes sœurs et moi nous nous amusons à cracher la poussière dans le sens du vent. Quand nous sortirons de la voiture, nous serons recouverts de poussière. De vrais *ngoés*. Mais ça n'a plus d'importance puisque nous sommes riches maintenant.

Ma mère est toute fière de payer le chauffeur et même de lui donner une pièce pour lui mouiller la barbe.

On va d'abord saluer la reine qui dirige la police des marchands. Ensuite, commence la visite. Comme autant de tapis multicolores, les fruits, les légumes, le pain, le sucre, les tissus, fleurissent à même le sol et côtoient les cochons, les poules, les moutons et les cobayes.

Moi qui hâtais le pas lorsque je passais devant un étal pour moins sentir la faim, j'apprends le bonheur de flâner, de sentir le parfum des légumes, des fruits.

– Dix francs, les mangues ! Les kolas ! Les kolas ! Les bâtons de manioc !

Je regarde une vieille dame qui crie : « Les yeux ! Les yeux ! » pour vendre ses œufs, au milieu d'un troupeau d'hommes et de bêtes.

Depuis que nous misérons moins, j'ai le droit de regarder et même de toucher, de tâter les fruits.

– C'est combien ?

– C'est très moins cher ! Vingt-cinq francs !

– Et la qualité, c'est comment la qualité, à ce prix ?

– Bonne, bonne la qualité... Tu n'es pas venu voir avec les yeux, goûte !

– Ça, de la bonne qualité ? Mais ta mangue est gâtée ! C'est pour ça que c'est très moins cher !

Je me sauve et je rejoins mon père et ma mère, alors que la marchande me lance :

– J'te fais encore très moins cher, reviens ! J'peux te les cadeauter pour rien !

Ma mère regarde les tissus africains, ça se connaît dans le monde entier. C'est comme une légende. Des dessins d'oiseaux et de plantes, des motifs qui se suivent tels des rubans : des bleus, des verts, des jaunes, des bordures rouges et brunes, entremêlées comme des nattes.

Il y a aussi des éléphants et des rhinos, même des médaillons avec des chefs d'État en visite ou avec le pape, des signes de croix aussi et des Sacrés-Cœurs de Jésus-Christ et des Vierge Marie, sans oublier les cases, les palmiers, les fleuves et les montagnes, les têtes de buffles et les silhouettes de zébus, ou encore des ponts suspendus, des bateaux de pêche en mer.

Ma mère rêve de s'acheter quelques mètres de beau tissu pour se coudre une robe. Je m'étonne que ces rouleaux soient marqués « made in France ». Maman n'a pas fait attention, de toute façon elle ne sait pas lire.

Je demande à la vendeuse :

– C'est seulement en France que ça se fait, les tissus ?

– Non, il y en a aussi qui viennent de Hollande, c'est de la grosse qualité, mais les couleurs sont tristes comme... Quelques-uns viennent du Nigeria, et c'est de la camelote !

Mes frères et sœurs sont plutôt intéressés par les tours d'acrobates et les concours de péteurs. Ici, des jeunes qui ont avalé des aromates se transforment en pétomanes et la récompense revient à celui dont le parfum restitue le mieux ce qu'il a mangé. Papa nous appelle :

– Samba ! Oyono ! Eyono ! Anyuzoa ! Efa ! Ngon ! Yobo ! Mbarga ! Akoa ! Ntoutoum ! Avez-vous envie de quelque chose sur le marché, je veux vous faire un cadeau.

D'un même pas, nous nous dirigeons vers le marchand de toupies en bois, ces ronds plats percés d'une mince tige, dont le gracieux tournoiement nous enchante.

Moi, j'aurais préféré un dictionnaire, mais c'est trop cher. Tout notre argent y serait passé. Il faut vraiment gagner beaucoup beaucoup d'argent en Afrique pour s'acheter un livre. Peut-être le père Schmitt pourra-t-il un jour m'en revendre un d'occasion ?

Même mon père, qui d'habitude a le visage morose, sursaute au moindre appel des commerçants. Il ferme les yeux. Il les rouvre. Il sourit. Rien n'est plus contagieux que la joie. Mes frères et sœurs grimacent. Je vois trembler leurs lèvres.

Au marché, on parle en pidgin, un mélange d'anglais et de français assaisonné de dialecte. On appelle les commerçantes bayandsell[1], parce qu'elles achètent et revendent. Ma mère est fière d'employer les quelques mots de français qu'elle connaît. Ici tout le monde la salue.

– How you day ? lance une bayandsell.

– A day ! Moi, je suis ça va ! Est-ce que toi aussi tu es ça va ? réplique ma mère.

– Je t'ai beaucoup absentée. Ça fait depuis, vraiment. Je voulais te vendre de la très bonne farine.

– Tu me mets un grand grand sac

– Le vingt-cinq ou le cinquante kilos ?

– Pour moi quoi ! Ce que tu as.

– Oh ! Merci ! Tu me fais la recette !

1. De l'anglais *buy and sell* (acheter et vendre).

Le soleil est très fort. Il y a peu d'air. Comme un coup de poing, la chaleur écrase mes narines. Elle entre partout. Elle s'engouffre dans mes cheveux, dans mes pores, dans mes oreilles. Je suis vide.

Un mot me traverse : douceur.

Douceur comme le sourire de mon père, tout ému par cette première promenade au marché depuis qu'il a perdu la vue.

Douceur comme le regard de maman, quand elle annonce qu'on va acheter beaucoup de pain, du sucre, la grande boîte de margarine et du savon de Marseille.

Douceur comme mes frères et sœurs qui se cramponnent les uns aux autres pour ne pas s'égarer.

Profitant d'une petite trouée dans la foule, je saisis mon frère Ntoutoum par la main. Ma mère m'a indiqué une bayandsell dont il faut se méfier. Ntoutoum, le plus jeune d'entre nous, ne doit pas l'approcher parce qu'elle est stérile. Les clients ne lui parlent qu'en murmurant. Ils jettent de droite à gauche des regards inquiets, comme ceux qui ont des secrets à cacher.

Moi, je sais pourquoi. Mon grand-père m'a tout expliqué. Chez nous, on dit que les enfants vivent dans un écrin en attendant de trouver le ventre d'une femme digne de les accueillir.

La femme qui ne peut pas avoir d'enfants est celle dont les jeunes enfants doivent se méfier. Si elle ne mérite pas de porter un enfant, c'est qu'elle est mauvaise. On éloigne donc d'elle tous les jeunes enfants qu'elle a le pouvoir de rendre stériles.

Nous atteignons le stand de la marchande de pain. La vue de ma famille réunie me donne confiance et envie de vivre mille ans, ou plus. Ce soir, à la maison, nous tremperons notre pain beurré dans de grandes casseroles d'eau chaude sucrée. Nous ferons tournoyer nos toupies. Dix toupies qui tournent en même temps. C'est la mienne qui tournera sûrement plus longtemps que les autres. Demain maman se lèvera encore plus tôt pour laver notre linge qui sentira bon le savon de Marseille. Nous serons heureux.

La journée passe très vite au marché. La nuit tombe doucement sur le chemin du retour. Nous sommes à l'arrière de la Pigeot. À travers la poussière soulevée, la rumeur du marché s'éteint et un à un tous les autres bruits.

Silence.

Il n'y a que le vieux moteur qui tousse.

Je me retourne.

Je vois le ciel qui s'éclaircit subitement. Les étoiles tournent et retournent autour de nous comme une ronde. Heureuses, elles me regardent. Elles sont comme les yeux des esprits qui se rapprochent pour mieux voir ce que font les hommes.

MON PAYS

Pays ! Ô village bien-aimé
J'ai entendu l'écho de ton Nom
Se répercuter infiniment à l'Est
Comme une volée de carillon
À l'Est là-bas à l'Est.
Kamerun ! Kamerun ! Kamerun !

Elolongué Epanya Yondo,
extrait de *Kamerun ! Kamerun !*,
Présence africaine, 1960.

LE CAMEROUN

« Cameroun » vient du mot portugais *camaroes*, qui veut dire crevettes. Les premiers Européens avaient été étonnés par la quantité de crevettes qui grouillaient dans la rivière Wouri et la baptisèrent « le rio dos Camaroes » (la rivière des crevettes). La fête nationale camerounaise est célébrée le 20 mai. La monnaie est le franc C.F.A. (10 000 francs C.F.A. = 15 euros). Le drapeau est formé de trois bandes verticales verte, rouge, jaune, avec une étoile symbolisant la réunion des deux Cameroun, français et britannique.

Au cœur de l'Afrique

Le Cameroun est un pays un peu plus petit que la France, mais moins peuplé (475 442 km^2, environ 15 millions d'habitants). Il a la forme d'un triangle dont la base longe l'océan Atlantique. Le nord du pays, très chaud et aride, est couvert par la savane. Le sud est le domaine de la forêt tropicale, dense et humide. Entre les deux s'étend une région de hauts plateaux. De nombreux fleuves prennent leur source dans les montagnes de l'ouest. Un important volcan encore en activité, le mont Cameroun (4 094 m), domine la mer. Les deux villes principales sont Yaoundé, la capitale, et Douala, un très gros port de pêche.

Une population variée

Les plus anciens habitants du pays sont les Pygmées qui vivent dans la forêt tropicale. Mais on trouve au Cameroun plus de deux cents ethnies différentes ; les Bantous, au sud, et les Bamilékés, sur les plateaux verdoyants de l'ouest, sont les plus nombreux. Il existe à peu près autant de langues que d'ethnies, mais les deux langues officielles sont le français (75 %) et l'anglais (25 %).

L'économie

Trois habitants sur quatre sont agriculteurs et vivent de leurs cultures : manioc, mil, sorgho, banane plantain, patate douce, macabo. Les produits qui font la richesse du Cameroun sont le café, le coton, les bananes, les arachides, le maïs. L'élevage est très important dans l'ouest et sur le plateau central.

La forêt, qui couvre un tiers du pays, fournit des bois précieux (ébène, acajou, sapelli, sipo, bubinga) et des bois de construction (azobé, doussié, iroko). Le Cameroun est le premier pays d'Afrique producteur d'électricité d'origine hydraulique. Il possède également des gisements de pétrole, de bauxite, d'étain et d'or.

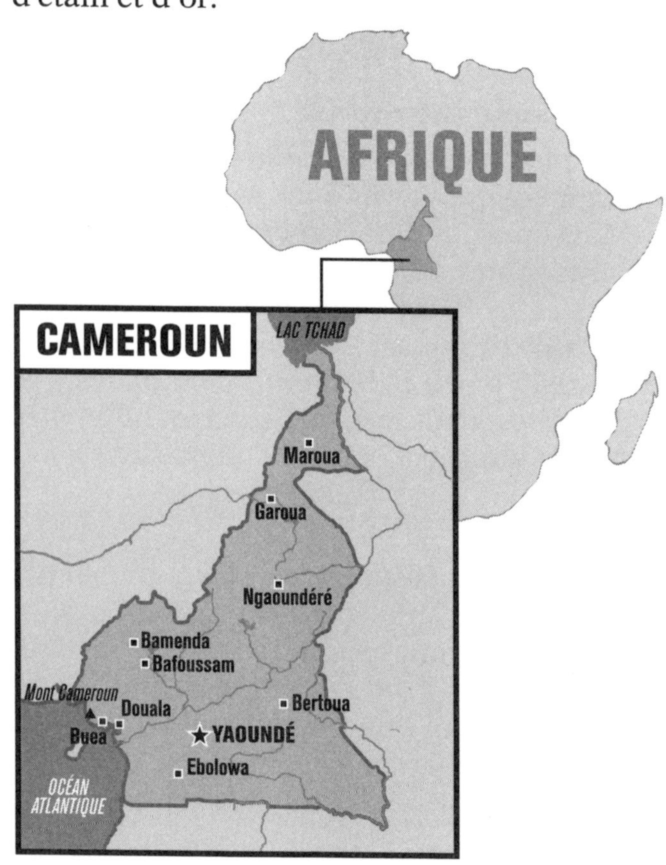

L'HISTOIRE DU CAMEROUN EN QUELQUES DATES

VIe siècle avant J.-C.

Hannon, un célèbre navigateur venant de Carthage (Tunisie), découvre les côtes du Cameroun. Il est très impressionné par une haute montagne qui brûle la nuit et crache des torrents de feu jusque dans la mer : c'est le mont Cameroun, un volcan toujours en activité.

XIe siècle

Le roi Houmé se convertit à l'Islam et noue des relations diplomatiques avec de nombreux pays. C'est une période faste, qui se termine malheureusement au XIIIe siècle par des guerres civiles.

1472

Le portugais Fernando Poo atteint les côtes du Cameroun et établit des relations commerciales avec le pays. La traite des esclaves se développe ; elle durera jusqu'au XIXe siècle.

XVIe siècle

Apogée du pays sous le règne du roi Idriss, un grand voyageur qui se rend en Égypte et à La Mecque.

1884

Les Allemands qui colonisent la contrée signent des traités avec les principaux chefs de tribus. C'est le début du protectorat allemand, qui dure trente ans.

1916

Pendant la Première Guerre mondiale, les Français et les Britanniques mettent en échec les forces allemandes du Cameroun. À la fin de la guerre, le Cameroun est partagé entre la France (75 % du territoire) et la Grande-Bretagne (25 %).

1957

Le Cameroun français devient un État autonome.

1er janvier 1960

L'indépendance est proclamée. Les parties britanniques et françaises sont réunies en 1961. Le premier président de la République est Ahmadou Ahidjo. Le président Paul Biya lui succède en 1982.

LES RELIGIONS EN AFRIQUE

L'animisme

Les croyances animistes sont encore très fortes en Afrique (elles concernent environ 45 % des Camerounais) et se mêlent souvent aux autres religions monothéistes (cela veut dire « qui croient en un seul Dieu »).

Pour les animistes, le monde est gouverné par des génies et des dieux que l'on trouve dans le monde végétal et le monde animal, aussi bien que dans l'esprit des hommes. Ces dieux et ces génies sont à l'origine de tout ce qui existe et de la connaissance.

Les adolescents doivent traverser une série d'épreuves qui marquent leur entrée dans le monde des adultes.

Les funérailles sont l'occasion de longues cérémonies pour que l'esprit des morts trouve la paix. Les morts deviennent alors les conseillers et les protecteurs des vivants.

Les religions chrétiennes

Les missionnaires chrétiens sont arrivés avec les premiers marchands et colons européens, à la fin du XVe siècle. Les catholiques (soit 21 % de la population camerounaise) et les protestants (environ 14 %) forment des communautés vivantes.
Les chrétiens croient en Jésus-Christ, fils de Dieu, né en Palestine il y a un peu plus de deux mille ans, mort et ressuscité pour les sauver du péché. Les paroles et les gestes du Christ sont racontés dans les Évangiles, qui forment une partie de la Bible. La Bible est composée de l'Ancien Testament (histoire du peuple juif) et du Nouveau Testament (Évangiles et Actes des apôtres).

L'Islam

Les musulmans représentent environ 20 % des Camerounais. L'Islam est apparu il y a longtemps : le roi Houmé, au XIe siècle, est le premier souverain à s'y être converti.
L'Islam a été fondé au VIIe siècle par le prophète Mahomet. Les musulmans croient qu'ils doivent obéir en toute chose à Allah (nom donné à Dieu) et vivre selon les préceptes du Coran, leur livre saint.

LE GRIOT

Le griot est un personnage important des villages africains. À la fois chanteur, poète, historien, il connaît l'histoire de son peuple et celle des familles de son village. C'est le gardien de la mémoire, il doit savoir parler, mais aussi se taire pour ne pas trahir les secrets de la tribu…
On fait appel au griot lors d'un événement ou d'une cérémonie importante, un mariage ou un enterrement par exemple. Il parle des ancêtres, raconte des événements anciens, invente des chansons. Il s'accompagne d'un instrument de musique, généralement un tambour.

À LA CUISINE

Manioc, macabos, sorgho... ces légumes que l'on mange au Cameroun sont inconnus en Europe !

Le manioc est une plante dont les racines sont comestibles. On en fait une sorte de pâte, que l'on découpe en rondelles ou en bâtons. Peut-être avez-vous déjà goûté du manioc sans le savoir, sous forme de tapioca. Dans le nord du pays, on mange aussi les feuilles du manioc comme des épinards.

Les macabos sont des tubercules qui se cuisinent comme les pommes de terre, bouillis, frits ou en purée. Les bananes plantain sont plus farineuses et moins sucrées que les bananes fruits, et se servent en légumes. Les patates douces, qui ressemblent à de grosses carottes blanchâtres, ont un goût très fin.

Le ndomba nam est une spécialité de Yaoundé, c'est une pâte d'arachide cuite dans des feuilles de bananier avec de la viande ou du poisson.

La viande la plus courante est le poulet mais au bord de la mer, place aux poissons grillés parfumés au piment. Les Camerounais apprécient aussi le ragoût de serpent ou les larves d'insectes grillées.

La base de l'alimentation dans les villages est le sorgho, le mil ou le maïs, pilés en semoule ou en farine et cuits en purée ou en boulettes.

Au dessert, des fruits, tous délicieux : ananas, bananes, papayes, oranges, pamplemousses, noix de coco, et d'autres moins connus comme le corossol, qui se déguste cru ou en compote.

Le « café du pays », servi à la fin du repas, est une infusion de citronnelle.

LE PALUDISME

Une maladie qui tue

Le paludisme, que l'on appelle aussi malaria, tue plus d'un million de personnes chaque année en Afrique, dont la moitié sont des enfants de moins de cinq ans. Cette maladie est due à un microbe transmis par la piqûre des moustiques femelles. Le malade souffre d'accès de fièvre, qui se répètent tous les trois ou quatre jours et le laissent épuisé. Au fil des crises, son organisme s'affaiblit peu à peu et il finit par mourir. Il existe un remède, la nivaquine, qui ne guérit pas la maladie, mais empêche les crises ou les soulage. On n'a pas encore trouvé de vaccin contre le paludisme.

Fièvre des marais

Les moustiques qui transmettent le paludisme aux hommes vivent et se multiplient dans les mares, nombreuses près des villages, surtout à la saison des pluies. Pour éviter la maladie, il faut commencer par lutter contre les moustiques, en assainissant les endroits où l'eau stagne, près des maisons, dans les jardins potagers, autour des villages. Des moustiquaires placées la nuit autour des lits sont aussi une bonne protection, mais elles sont toutefois trop chères pour la plupart des familles.

Un arbre précieux

Pendant des années on a utilisé la quinine, extraite de l'écorce d'un arbre appelé le quinquina, pour lutter contre la fièvre. Le remède était efficace, malheureusement les microbes sont en train de devenir résistants à cette substance et il faut trouver de nouveaux médicaments. Il en existe déjà, mais beaucoup de familles ne peuvent pas les acheter, par manque d'argent ou parce qu'on ne les vend pas encore partout.

Terribles épidémies

Au début du XXe siècle, la maladie du sommeil, due à la mouche tsé-tsé, touchait le quart de la population camerounaise. Elle a pu être presque totalement maîtrisée grâce à un médecin français, le docteur Jamot, le seul Européen honoré par un monument à Yaoundé.

De nos jours, le sida fait de terribles ravages sur le continent africain. Mais le paludisme en fait davantage.

PROVERBES AFRICAINS

On ne creuse pas avec le manche de la bêche, mais le manche aide à creuser. *(Proverbe bantou)*

Même si l'écorce d'arbre reste longtemps dans l'eau, elle ne devient pas crocodile. *(Proverbe mossi)*

Quand le dos te démange, ne te gratte pas la poitrine. *(Proverbe du Togo)*

Si le ventre a de quoi manger, c'est que les pieds ont bougé. *(Proverbe du Burkina Faso)*

Si tu vois une chèvre dans le repaire du lion, crains-la. *(Proverbe bambara)*

La bouche est le bouclier du cœur. *(Proverbe bantou)*

Il est facile d'avoir un frère dans le royaume voisin. *(Proverbe achanti)*

Celui qui monte aux baobabs a davantage de leurs fruits, mais celui qui reste à terre sait mieux quand il rentrera chez lui. *(Proverbe peul)*

La route n'enseigne pas au voyageur ce qui l'attend à l'étape. *(Proverbe bantou)*

Le poisson pleure aussi, mais on ne voit pas ses larmes. *(Proverbe de Côte d'Ivoire)*

Un coup de langue est pire qu'un coup de lance. *(Proverbe du Zaïre)*

Dossiers établis en collaboration avec Nicole Bustarret.

9-11

UNE AMIE GÉNIALE
Sandrine Pernusch.

AVERTISSEMENT DE CONDUITE
Ségolène Valente.

BIEN JOUÉ MÉLUSINE !
Yvon Mauffret.

BILLY CROCODILE
Yves-Marie Clément.

LE CHEVALIER AUX TROIS VISAGES
Jean Molla.

UN CHIEN CONTRE LES LOUPS
Hélène Montardre.

CLAIR DE LOUP
Thierry Lenain.

CLASSE DE LUNE
François Sautereau.

LES CM2 À LA UNE
Catherine Missonnier.

UN CŒUR EN VACANCES
Ségolène Valente.

COMMENT JE SUIS DEVENUE PIRATE
Yves-Marie Clément.

LA COURSE AUX RECORDS
Lorris Murail.

DE L'EAU PLEIN LES BOTTES
Chantal Cahour.

LES DISPARUS DE FORT BOYARD
Alain Surget.

L'ÉCRIVAIN MYSTÈRE
Stéphane Daniel.

ENQUÊTE ET PATINS À ROULETTES
Alice Hulot.

UN ÉTÉ ENTRE DEUX FEUX
Yvon Mauffret.

EXTRATERRESTRE APPELLE CM1
Catherine Missonnier.

LA FILLE QUI REND FOU
Jean-Luc Luciani.

LE FILS DES LOUPS
Alain Surget.

FILS DE SORCIÈRES
Pierre Bottero.

LE GARÇON QUI VIVAIT DANS UN ARBRE
Louis Espinassous.

L'INCONNU DU QUATRIÈME
Alice Hulot.

JEUX DE FAMILLE
Pascale Perrier.

JOUER C'EST GAGNER !
Pascale Perrier.

LE JOURNAL SECRET DE MARINE
Sandrine Pernusch.

LE JOUR OÙ J'AI RATÉ LE BUS
Jean-Luc Luciani.

LACE-MOI LES BASKETS
Guy Jimenes.

LA MACHINE À VOLER LES CŒURS
Guy Jimenes.

MANON ET RAPHAËL
Sandrine Pernusch.

MA PREMIÈRE BOUM
Ségolène Valente.

MESS@GES SECRETS
Pascale Perrier/Ségolène Valente.

MISS CASSE-COU
Stéphane Daniel.

MON CHAT, MES COPINES ET MOI
Marc Cantin.

MON CHIEN VA À L'ÉCOLE
Chantal Cahour.

MYSTÈRE À BORD
Catherine Missonnier.

MYSTÈRE ET HAMBURGER
Jean Alessandrini.

LES OIGNONS DE LA FORTUNE
Yvon Mauffret.

ON T'AIME CHARLOTTE
Sandrine Pernusch.

PANIQUE EN 6e A
Catherine Missonnier.

PAS FACILE D'ÊTRE UNE STAR
Marc Cantin.

PITIÉ ! PAS CETTE FILLE
Sylvaine Jaoui.

POUR UN PETIT CHIEN GRIS
Yvon Mauffret.

PREMIER EN FOOT
Catherine Missonnier.

SAMBA DES COLLINES
Isabelle Lebrat.

SECRETS DE SORCIÈRES
Alice Hulot.

S.O.S. URGENCES
Roselyne Bertin.

SUR LA PLANÈTE CŒUR
Sylvaine Jaoui.

TOUS À LA PATINOIRE
Ségolène Valente.

UN TRÉSOR À L'ORPHELINAT
Évelyne Brisou-Pellen.

DES VACANCES À HISTOIRES
Sandrine Pernusch.

LA VILLE QUI REND FOOT
Jean-Luc Luciani.

VIVE LES PUNITIONS !
Guy Jimenes.

VOTEZ POUR MAMAN !
Chantal Cahour.

L'AUTEUR

Née en 1966, **Isabelle Lebrat** passe son enfance dans une petite ville, près de Strasbourg. Ses passions sont la lecture, l'écriture et la poésie, à laquelle elle s'adonne dès l'âge de neuf ans. Agrégée de lettres, elle devient professeur de français et s'installe en Lorraine. Elle a publié des recueils de poèmes ainsi que des articles critiques et un essai sur Philippe Jaccottet, l'un des plus grands poètes français vivants. L'Afrique est sa patrie du cœur.
Depuis un an, elle est formatrice à l'I.U.F.M. d'Alsace où elle guide les débuts des professeurs des écoles. Mais qu'elle enseigne, qu'elle visite des classes ou qu'elle écrive, c'est toujours sa passion de la lecture qu'elle cherche à transmettre. *Samba des collines* est son premier roman pour la jeunesse.

L'ILLUSTRATRICE

Née à Versailles en 1976, **Cécile Geiger** s'est installée depuis quelques années dans un atelier à Montreuil, en région parisienne. En 1999, après les Arts décoratifs, sa recherche d'inspiration et de soleil la fait se tourner vers l'Afrique noire. Elle réalise une première exposition de peinture, d'inspiration africaine, puis des albums jeunesse avant de partir au Niger où elle « vig-vogue » de rencontres chaleureuses en croquis colorés. Désormais, lorsqu'elle illustre un livre sur l'Afrique, elle a le sentiment d'y retourner !

Achevé d'imprimer en France en juin 2004
par l'imprimerie Hérissey - Évreux (Eure)
Dépôt légal : juillet 2004 - N° d'édition : 4036
N° d'impression : N° 97251